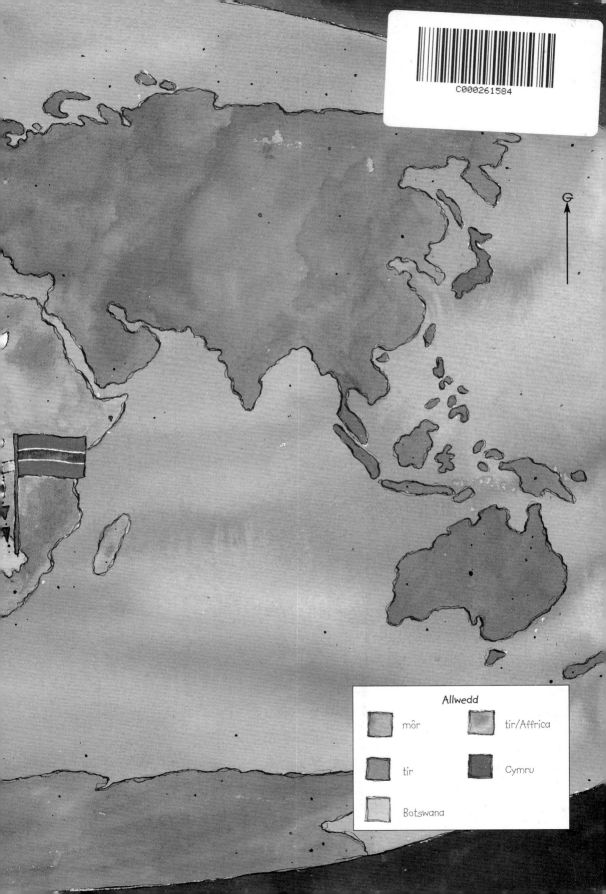

G

Allwedd

môr		tir/Affrica
tir		Cymru
Botswana		

BYD JACI

Argraffiad cyntaf—2002

ISBN 1 84323 026 7 (Safonol)

ISBN 1 84323 027 5 (Llyfr Mawr)

ⓟ testun: Olive Dyer, Val Scurlock ac ACCAC
(Awdurdod Cymwysterau, Cwricwlwm ac Asesu Cymru) 2002 ©
ⓟ lluniau: Fran Evans ac ACCAC, 2002 ©

Cyhoeddir y gyfrol hon gyda chymorth ariannol ACCAC
a chydweithrediad Coleg y Drindod, Caerfyrddin.

Dymuna'r cyhoeddwyr gydnabod cymorth
Adran Olygyddol Cyngor Llyfrau Cymru.

Cynllun y clawr: Olwen Fowler

Argraffwyd yng Nghymru gan
Wasg Gomer, Llandysul, Ceredigion SA44 4QL
www.gomer.co.uk

Dyddiadur Kabo

VAL SCURLOCK • OLIVE DYER

Darluniau gan
FRAN EVANS

GOMER

Roedd Kabo'n gyffro i gyd. Fory roedd yn mynd i weld ei fam-gu. Roedd hi'n byw yn Botswana, gwlad bell i ffwrdd.

"Dangos i fi ble rwyt ti'n mynd, Kabo," meddai Nia.

"Rhaid i ni beidio ag anghofio ein pasports," meddai Mam. "Cofia ddod â dy ddyddiadur, Kabo!"

Grêt! Rwy'n mynd i Botswana!

"Wyt ti wedi gorffen pacio?" gofynnodd Dad.

"Bron iawn," atebodd Kabo.

"Dos â Jaci Jiráff gyda ti, Kabo," awgrymodd Nia, "iddo gael gweld jiráff go iawn."

"Diolch" meddai Kabo. Gofynnodd i Nia ofalu am Lowri'r ddafad tra oedd i ffwrdd.

Yn gynnar iawn y bore wedyn, dechreuodd Kabo a'i deulu ar eu taith hir i Botswana. Am 6 o'r gloch y bore gadawodd eu hawyren y maes awyr.

Am 12 o'r gloch, hanner dydd, fe gawson nhw ginio.

Am 3 o'r gloch y prynhawn ysgrifennodd Kabo yn ei ddyddiadur.

Am 6 o'r gloch y nos glaniodd yr awyren yn Botswana.

.Dydd Gwener.
Roedd Mam-gu yno i'n croesawu ni.

Yn y bore deffrodd Kabo yn nhŷ ei fam-gu.
Roedd hi'n byw mewn pentref heb fod ymhell
o ddinas fawr.

"Dere i gwrdd â dy gefndryd," meddai Mam-gu.
"Gei di chwarae gyda Thabo a Bonolo tra 'mod i'n
gwneud brecwast. Rwy'n gobeithio dy fod ti'n
hoffi uwd india-corn."

Trwy gydol y dydd bu Kabo yn helpu ei fam-gu.
Yna, syrthiodd i gysgu wrth wrando ar synau'r nos.

Dyddiadur
Kabo

. Dydd Sadwrn .

Mae'n dwym ofnadwy.
Bore 'ma buon ni'n chwarae
gyda theganau wedi'u
gwneud allan o ganiau.

Cododd Kabo'n gynnar.
Yn fuan iawn roedd
pawb yn brysur
yn y tŷ a
thu allan.

Yn gyntaf, roedd yn rhaid i Kabo a'i gefnder fynd i nôl dŵr i Mam-gu. Fe gerddon nhw i'r tap yng nghanol y pentref.

Yna gwisgodd y teulu eu dillad gorau a chychwyn am yr eglwys.

Roedd Kabo am anfon cerdyn post at Nia a Lowri.
Ond doedden nhw ddim yn eu gwerthu yn siop y pentref.

"Bydd rhaid i ni fynd i'r ddinas i brynu un," meddai
Mam-gu.

. Dydd Sul .
Ro'n i'n hoffi'r canu
yn yr eglwys.

Roedd Mam-gu'n gweithio mewn gweithdy gwehyddu ym mhen draw'r pentref. Aeth Kabo gyda hi a dangosodd hi iddo sut oedd ei lluniau'n adrodd stori.

14

"Hoffet ti ddod gyda fi i'r ddinas fory, Kabo?" gofynnodd Mam-gu. "Rwy'n mynd â gwaith gwehyddu i'w werthu yn y siop grefftau."

. Dydd Llun .
Mae Mam-gu'n rhoi holl liwiau'r enfys i mewn i'w lluniau.

Yn y bore aeth Kabo a Mam-gu i'r siop grefftau yn y ddinas. Wedyn, tra bu Mam a Dad yn siopa, aeth Kabo a Mam-gu am dro. Roedd cymaint o bethau difyr i'w gweld a'u clywed.

Cyn i Kabo adael fe brynodd gerdyn post i'w
anfon adref at Nia a Lowri.

Yn y prynhawn, aeth Kabo i'r ysgol gyda'i gefndryd.

Soniodd wrth y plant am Gymru. Dangosodd luniau o Gaerdydd iddyn nhw.

Chwarddodd pawb pan welson nhw'r llun yma.

Cyn bo hir roedd hi'n amser chwarae.

"Dere i chwarae pêl-droed gyda ni," meddai'r plant. "Gall Jaci eistedd yn y cysgod i'n gwylio ni."

. Dydd Mawrth .

Gofynnodd y plant lawer o gwestiynau am yr eira. Rwy'n gobeithio gweld jiráff fory.

19

O'r diwedd daeth cyfle Kabo i weld anifeiliaid gwyllt Botswana. Roedd yn ysu am gael mynd. Llogodd Mam jîp, tra bod Dad yn pacio'r bwyd a'r ddiod. Yna, i ffwrdd â nhw ar daith o gwmpas y Parc Cenedlaethol.

Roedd sawl estrys ar ochr y ffordd.
Ac fe welodd Kabo awyren fach
yn hedfan uwchben.

.Dydd Mercher.
Dim sôn am jiráff
i Jaci eto.

21

"Rwy'n gweld â'm llygad bach i rhywbeth yn dechrau â B," meddai Mam.

"Hawdd!" meddai Kabo. "Byffalo."

Yna, ar y chwith, fe welson nhw lew yn cuddio dan goeden ganhwyllau.

Wrth yrru rownd y tro fe welson nhw fabŵns yn siglo'n ôl ac ymlaen yn y goeden faobab, ac eliffantod yn cnoi rhisgl y goeden.

Dyma'r diwrnod gorau eto, ond does dim sôn am jiráff!

Yn y pellter roedd rhinoseros yn carlamu drwy'r llwyni.

Wrth droi i'r dde, fe welson nhw hipopotamws yn nofio yn y dŵr ger coeden selsig …

… ac, o'r diwedd, yn codi fry uwchben coeden draenen y camel, dyma nhw'n gweld jiráff! Roedd Jaci wrth ei fodd.

· Dydd Mercher ·
Jiráff o'r diwedd!
Buon ni'n gwylio'r haul
yn machlud fel pêl
fawr goch.

25

Parc
Cenedlaethol

Treuliodd y teulu ddiwrnod olaf y gwyliau yn y pentref. Roedd hi'n amser ffarwelio â phawb.

Yn yr hwyr aeth y teulu allan i'r awyr agored. Buon nhw'n eistedd o amgylch y tân yn gwrando ar Mam-gu'n adrodd storïau am Botswana.

. Dydd Iau .
Roedd hi'n oer iawn, a'r sêr yn disgleirio yn yr awyr. Roedd hi'n drist gorfod dweud ffarwél.

Yn y maes awyr roedd gan Mam-gu un syrpreis bach cyn iddyn nhw adael. Heb yn wybod i Kabo, roedd hi wedi bod yn gwehyddu llun arbennig iddo fynd 'nôl gydag ef i Gymru.

"Cofia, Kabo, mae pob llun yn adrodd stori," meddai Mam-gu gan wenu.

Parc
Cenedlaethol